Wolterinck

KLEUR
COLOUR
COULEUR
FARBE

PHOTOGRAPHY CEES ROELOFS

TERRA

Voorwoord

Een wit boek waarin Wolterinck kleur bekent.

Zo luidde de insteek voor ons tweede boek: een verzameling beelden van composities die tot stand zijn gekomen vanuit één uitgangspunt kleur.

Het scala tussen wit en zwart is bijeengebracht in acht delen, elk met een eigen uitstraling en sfeer, voortgekomen uit die specifieke bloemkleur. De rijkdom van dit kleurenpalet inspireerde ons tot het ontdekken en bewandelen van nieuwe wegen in de florawereld.

Een genot was het, om al die prachtige plantaardige materialen om ons heen in een ander daglicht te stellen, waardoor die gladiool of dat sierkooltje verrassend opnieuw de aandacht vraagt. Een bloem die iedere keer op een zelfde, bepaalde wijze wordt verwerkt, verliest haast logischerwijs haar bijzonderheid. Het is voor ons een uitdaging om iedere bloem, elk blad speciaal te laten zijn. De combinatie van techniek, kleur en materiaal, maar juist ook de specifieke toepassing in compositie en omgeving, geven telkens weer die voldoening waarom wij bloembinders ons beroep zo graag uitoefenen.

Wanneer een dergelijk arrangement ook nog eens een meerwaarde verkrijgt doordat dit optimaal op de gevoelige plaat wordt vastgelegd, beleven wij een moment dat Wolterinck graag met u deelt.

Ik hoop dat u zult genieten van dit boek, er veel inspiratie aan ontleent en het uw omgeving kleur zal geven.

Paul Klunder

Bedrijfsleider bloembinderij

Preface

A white book in which Wolterinck finds colour.

Thus sounded the summons for our second book: a collection of images of compositions which derive from a single starting point: colour

The range between white and black is bridged in eight steps, each with its own mystery and atmosphere, each stemming from a specific flower colour. The wealth of this palette inspires us to discover and wander new paths through the floral world.

It was a delight for us to assemble all these beautiful plant materials in a new light, through which this gladiolus or that brassica surprised us anew. A flower which is always presented in the same conventional way almost inevitably loses its magic. For us the challenge is to give every flower, every leaf its own unique quality. The combination of technique, colour and material, plus very specific placing in the composition and surroundings, again provides that satisfaction to which we, as floral designers, aspire.

When such an arrangement gains the added lustre of being perfectly captured on film, we experience something which Wolterinck is proud to share with you.

I hope that you will enjoy this book, that it will inspire you and add colour to your surroundings.

Paul Klunder

Manager Floral Design

Avant-propos

Un livre blanc dans lequel Wolterinck joue la couleur. Voici la teneur de notre deuxième livre: un ensemble d'images de compositions, établis à partir d'un seul couleur. Toute la gamme de couleurs, de noir au blanc, est assemblée dans huit parties avec chacune sa propre rayonnement et ambiance, emanée de la couleur principale. La richesse de cette palette nous a inspiré à découvrir et à emprunter de nouveaux chemins dans le monde de la flore.

C'était un délice de montrer sous un autre jour toutes ces matières végétales splendides, qui nous entourent. Ce qui a eu comme effet que ce glaïeul ci ou ce petit chou d'ornement là, demande de façon surpenant, notre attention. Une fleur qui est traitée chaque fois de la même façon, perd logiquement sa spécificité. C'est un défi pour nous de faire en sorte que chaque fleur et chaque feuille soit particulière. De combiner la technique avec la couleur et le matériel, mais aussi de trouver la composition qui correspond exactement à son entourage, nous donne, nous les fleuristes, la satisfaction qu'on recherche dans notre métier.

Alors quand nos créations sont photograpiées, ce qui augmente encore leur valeur, nous vivons un moment heureux qu'on partage volontier avec vous. J'éspère que vous aimeriez ce livre, qu'il vous inspirera et qu'il rendera votre entourage coloré.

Paul Klunder

Chef d'entreprise

Vorwort

Ein weißes Buch worin Wolterinck Farbe bekennt.

Der Bezugspunkt unseres zweiten Buchs war: eine Sammlung von Kompositionsbildern die unter einem Gesichtspunt gemacht wurden, nämlich Farbe.

Die Skala von weiß bis schwarz wurde in acht Abschnitte eingeteilt, jeder mit eigener Leuchtkraft und geprägt von spezifischen Blumenfarben. Vom Reichtum dieser Farbpalette ließen wir uns anregen in der Blumenwelt neue Wege zu gehen und Neues zu entdecken.

Es war ein Vergnügen alles Pflanzenmaterial um uns herum mit neuen Augen zu sehen, wodurch diese Gladiole oder jener Zierkohl auf eine überraschende und neue Weise auf sich aufmerksam macht. Eine Blume, die jedesmal auf dieselbe Art verarbeitet wird, verliert fast logischerweise ihre Eigentümlichkeit. Wir fühlen es als eine Herausforderung, um jede Blume und jedes Blatt in seiner Eigenart zu zeigen. Das Zusammenspiel von Technik, Farbe und Material, aber auch die spezifische kompositorische Anwendung, beschenkt uns Blumenbinder jedesmal mit erneuter Befriedigung.

Wenn ein solches Arrangement dann auch noch dadurch eine Steigerung erfährt, daß es optimal im Bild festgehalten wird, will Wolterinck dieses Erlebnis gern mit Ihnen teilen.

Ich hoffe daß Ihnen dieses Buch Freude bereitet, daß Sie ihm viele Anregungen entnehmen, und daß es Ihre Umgebung mit Farbe bereichert.

Paul Klunder

Geschäftsführer der Blumenbinderei

Inleiding

Kleuren in de natuur zijn helder, zijn primair. In deze oase van inspiratie vindt Wolterinck zijn stijlen. Naturel of overdaad, in de uitwerking blijft de essentie van de bloem altijd behouden. In kleur, vorm of structuur.

Het is de stille kracht van het minimale, want minder is meer. Het sobere werkt meditatief, een stijl die teruggrijpt op eenvoud, het royale wekt de luxe. Samen bereiken zij voor Wolterinck het natuurlijke evenwicht.

Contrastrijk en een tikkeltje eigenwijs. Geraffineerd komt de serene schoonheid van de fritillaria tot haar recht als een enkel en alleenstaand object. Is de perfectie nabij wanneer hyacinten hun vorm verliezen in evenwicht met de vaas. En wordt in onberispelijk surrealisme het materiaal haar eigen natuurlijke tegenhanger.

De semi-transparante winter, het rozige najaar, een frisse zomer en een liefdevol voorjaar. Het vergankelijke van de jaargetijden beweegt Wolterinck iedere keer weer subtiel tot kleurveranderingen. Van teer champagne tot en met vurig rood, waar omheen de elementaire kleuren wit en zwart het basisgeheel vormen.

Ervaar hoe de natuur in haar volle pracht het zinnebeeld voor momentopname en tijdloosheid kan zijn.

Introduction

Colours in nature are clear, are primary. It is in this oasis of inspiration that Wolterinck finds his styles. Natural or in profusion, the essence of the flower is always preserved in the arrangement. In colour, form or structure. It is the silent power of the minimal, because less is more. The austere has a meditative effect, a style which harks back to simplicity, while the generous evokes luxury. For Wolterinck they together attain the natural balance. Full of contrasts but at the same time just a taste of individuality. The serene beauty of the fritillary comes into her own as a single, free-standing object. Is perfection at hand when the hyancinths lose their form in complete balance with the vase. And, in impeccable surrealism, the material becomes its own natural counterpart.

The semi-transparent winter, the russet autumn, bright summer and a tender spring. Every change in the seasons subtly moves Wolterinck to changes in colour. From tender champagne to fiery red, around which the elemental colours white and black provide an underlying unity.

Introduction

Dans la nature les couleurs sont lumineuses et primaires. Dans cette resource d'idees, Wolterinck puise ses styles. Mais n'importe le style, naturel ou abondant, l'essentiel de la fleur, sa couleur, sa forme ou sa structure, restera toujours intacte. C'est la force silencieuse du minimum, car moins est plus. Un style sobre, qui a recours à la simplicité, a un effet méditatif. Un style royal engend le luxe. Les deux ensemble atteignent, pour Wolterinck un équilibre naturel, plein de contrastes et un petit peu entêté. La beauté sérène du fritillaire est mise en valeur de façon raffiné par l'emplaçement solitaire. Atteignons-nous la perfection quand des jacinthes perdent leur forme en parfait équilibre avec la vase? Et la matière se transforme de façon surréaliste irréprochable, dans son pendant naturel.

La demi-transparence de l'hiver, la roseur de l'autone, l'été fraîche et le printemps affectueux; chaque fois Wolterinck se laisse inspirer dans ses choix subtiles de couleurs par l'éphémère des saisons. D'un champagne tendre à un rouge vif au milieu des couleurs élémentaires comme le blanc et le noir, qui constituent le fond de la composition. Ressentez comme la nature dans toute sa splendeur, peut être vécu à l'instant mais aussi comme un symbole de l'intemporalité.

Einleitung

In der Natur sind Farben hell und primär. In dieser Oase der Inspiration entwickelt Wolterinck seine Stilformen. Ob in natürlicher Einfachheit oder verschwenderisch, in der Wirkung bleibt das wesentliche der Blume immer bewahrt: in der Farbe, in der Form oder der Struktur. Hier entfaltet sich die stille Kraft des Minimalen: denn weniger ist mehr. Das Einfache wirkt meditativ, ein Stil der genügsam ist, das Großzügige entfaltet Luxus. Beides zusammen ergibt für Wolterinck ein natürliches Gleichgewicht. Reich an Kontrast mit einem Quentchen Eigenwilligkeit. Auf raffinierte Weise bringt sich die heitere Schönheit als einzelnes alleinstehendes Objekt zur Geltung. Vollkommenheit ist beinahe erreicht wenn sich die Form der Hyazinthen im Gleichklang mit der Vase auflöst. In musterhaftem Surrealismus verkehrt sich das Material zu seinem eigenen natürlichen Gegenstück. Die Halbtransparenz des Winters, das Rosige des Herbstes, Frische des Sommers und ein lieblicher Lenz. Aus dem Wechsel der Jahreszeiten schöpft Wolterinck immer wieder neue Farbveränderungen. Von zartem Champagner bis feurigem Rot, umgeben von den elementaren Farben schwarz und weiß, die für die Grundstimmung sorgen. Erleben Sie wie die Natur in ihrer vollen Pracht, sowohl für den Augenblick, als auch für das Zeitlose, zum Sinnbild werden kann.

Het witte sluiert en vormt een vloeiend geheel met het onvergetelijke.

Transparante tragedie. Puur begeerte.

White veils and forms a fluid whole with the unforgettable.

Transparent, tragic. Pure desire.

Le blanc voile et forme un tout aisé avec l'inoubliable.

Tragédie transparente. Désir pur.

Das Weiß zeichnet und formt ein fließendes Ganzes mit dem Unverlierbaren.

Transparente Tragödie. Reines Verlangen.

Het witte sluier en vormt een vloeiend geheel met het onvergetelijke.

Transparante tragedie. Puur begeerte.

White veils and forms a fluid whole with the unforgettable.

Transparent, tragic. Pure desire.

Le blanc voile et forme un tout aisé avec l'inoubliable.

Tragédie transparente. Désir pur.

Das Weiß zeichnet und formt ein fließendes Ganzes mit dem Unverlierbaren.

Transparente Tragödie. Reines Verlangen.

Champagne is als sprankelend proza. Over de geboorte, zo teer, en het feesten,

zo chique. Een tintelende beproeving.

Champagne is like scintillating prose. About birth, so tender, and parties, so chic.

A tingling tasting.

Du Champagne est comme de la prose étincelant. De la naissance, si délicate

aux fêtes, si distinguées. Une épreuve pétillante.

Champagner gleicht überschäumender Prosa. Von der Geburt, so zart und dabei

die Festfreude, so chic. Eine prickelnde Verführung.

Champagne is als sprankelend proza. Over de geboorte, zo teer, en het feesten, zo chique. Een tintelende beproeving.

Champagne is like scintillating prose. About birth, so tender, and parties, so chic. A tingling tasting.

Du Champagne est comme de la prose étincelant. De la naissance, si délicate aux fêtes, si distinguées. Une épreuve pétillante.

Champagner gleicht überschäumender Prosa. Von der Geburt, so zart und dabei die Festfreude, so chic. Eine prickelnde Verführung.

Eindeloos blauwe lucht, stil maar beweeglijk. In de verte klinken klokjes.

We zoeken de koelte op en staren naar hemels voorjaarsgevoel.

Infinite blue light, still but in motion. In the distance we hear bells ringing.

We seek out the coolness and gaze towards heavenly spring.

Un immense ciel bleu, silencieux mais vif. Au loin sonnent les cloches.

Nous recherchons le fraîcheur et fixons nos regards vers un sensation céleste de printemps.

Endlos blauer Himmel, still aber bewegt. Aus der Ferne hört man Glocken.

Wir suchen die Kühle und weiden uns am himmlischen Frühjahrsgefühl.

Eindeloos blauwe lucht, stil maar beweeglijk. In de verte klinken klokjes.

We zoeken de koelte op en staren naar hemels voorjaarsgevoel.

Infinite blue light, still but in motion. In the distance we hear bells ringing.

We seek out the coolness and gaze towards heavenly spring.

Un immense ciel bleu, silencieux mais vif. Au loin sonnent les cloches.

Nous recherchons le fraîcheur et fixons nos regards vers un sensation céleste de printemps.

Endlos blauer Himmel, still aber bewegt. Aus der Ferne hört man Glocken.

Wir suchen die Kühle und weiden uns am himmlischen Frühjahrsgefühl.

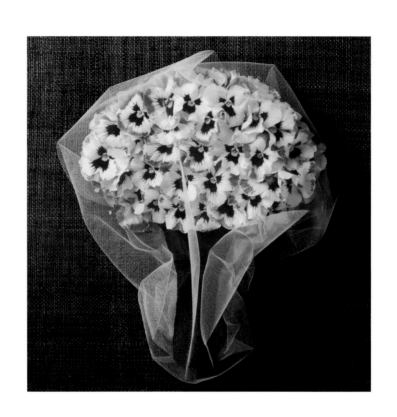

Lichtzinnig limoen, in ontluikende geur en kleur. Opvallend eerlijk en bijzonder.

De warmte werpt een nieuw licht.

Light-hearted lime, in burgeoning fragrance and colour. Strikingly honest and clean.

Warmth casts a new light.

Frivole limon, un éclosion de parfum et de couleur. Remarquablement honnête et

extraordinaire. La chaleur jette une nouvelle lumière.

Leichtsinnige Limone entfaltet Duft und Farbe. Auffallend ehrlich und

außergewöhnlich. Die Wärme erstrahlt ein neues Licht.

Lichtzinnig limoen, in ontluikende geur en kleur. Opvallend eerlijk en bijzonder.

De warmte werpt een nieuw licht.

Light-hearted lime, in burgeoning fragrance and colour. Strikingly honest and clean.

Warmth casts a new light.

Frivole limon, un éclosion de parfum et de couleur. Remarquablement honnête et

extraordinaire. La chaleur jette une nouvelle lumière.

Leichtsinnige Limone entfaltet Duft und Farbe. Auffallend ehrlich und

außergewöhnlich. Die Wärme erstrahlt ein neues Licht.

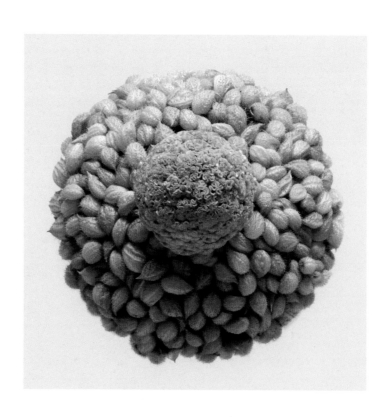

Brique kleurt de avondgloed in de Amazone. Vuur wakkert, blikken en blozen.

Een herinnering aan aardse taferelen en gewoontes, het oranje aroma.

Brick-red, the evening glow in the Amazon. Fire awakes, with blushing glances.

An echo of worldly scenes and customs, the aroma of orange.

Le couchant du soir rend l'Amazone de couleur brique. Du feu jaillit, pâlit et rougit.

Un souvenir aux scènes et traditions terrestres, l'arôme orange.

Rötlich färbt sich die Abendglut in der Amazone. Feuer erweckt Blicke und Erröten.

Eine Erinnerung an irdische Szenen und Gewohnheiten; das orangefarbene Aroma.

Brique kleurt de avondgloed in de Amazone. Vuur wakkert, blikken en blozen.

Een herinnering aan aardse taferelen en gewoontes, het oranje aroma.

Brick-red, the evening glow in the Amazon. Fire awakes, with blushing glances.

An echo of wordly scenes and customs, the aroma of orange.

Le couchant du soir rend l'Amazone de couleur brique. Du feu jailli, pâlit et rougit.

Un souvenir aux scènes et traditions terrestres, l'arôme orange.

Rötlich färbt sich die Abendglut in der Amazone. Feuer erweckt Blicke und Erröten.

Eine Erinnerung an irdische Szenen und Gewohnheiten; das orangefarbene Aroma.

De herbeleving van een bronzen tijdperk. Het verweerde doet haar intrede.

Statig en chique, sober maar warm. Theatraal brons opent haar deuren.

The revival of a bronze age. The weathered face makes her entrance. Stately and

chic, sober but warm. Theatrical bronze opens her doors.

Revrivre l'âge du bronze. Le rongé par les intempéries se manifeste. Digne mais

élégant, modeste mais chaleureux. Du bronze théâtrale ouvre ses portes.

Das Wiedererleben einer Bronzezeit. Das Ausgeschlossene hält seinen Einzug.

Würdig und elegant, einfach aber warm. Theatralische Bronze öffnet die Tore.

De herbeleving van een bronzen tijdperk. Het verweerde doet haar intrede. Statig en chique, sober maar warm. Theatraal brons opent haar deuren.

The revival of a bronze age. The weathered face makes her entrance. Stately and chic, sober but warm. Theatrical bronze opens her doors.

Revivre l'âge du bronze. Le rougé par les intempéries se manifeste. Digne mais élégant, modeste mais chaleureux. Du bronze théâtrale ouvre ses portes.

Das Wiedererleben einer Bronzezeit. Das Ausgeschlossene hält seinen Einzug. Würdig und elegant, einfach aber warm. Theatralische Bronze öffnet die Tore.

Vlammend indigo is vurig en vol passie. Minimaal romantisch en maximaal

dramatisch. Een rapsodie in rood.

Flaming indigo is fiery and full of passion. Minimum romance and maximum drama.

A rhapsody in red.

De l'indigo flamboyant est enflammé et passionnant. Du romantique et du drame.

Un rapsodie en rouge.

Flammendes Indigo ist feurig und voll Leidenschaft. Minimal romantisch und

maximal dramatisch. Eine Rhapsodie in rot.

Vlammend indigo is vurig en vol passie. Minimaal romantisch en maximaal dramatisch. Een rapsodie in rood.

Flaming indigo is fiery and full of passion. Minimum romance and maximum drama. A rhapsody in red.

De l'indigo flamboyant est enflammé et passionnant. Du romantique et du drame. Un rapsodie en rouge.

Flammendes Indigo ist feurig und voll Leidenschaft. Minimal romantisch und maximal dramatisch. Eine Rhapsodie in rot.

Mysterieus zwart trekt voorbij in de nacht. Onnatuurlijke eenvoud neemt verrassende

wendingen, naar purper. De schemerende morgenstond.

Mysterious black draws close in the night. Unnatural simplicity takes surprising turns,

towards purple. The shimmering dawn.

Il y a du noir mystérieux qui passe dans la nuit. De la simplicité artificielle se tourne

tout à coup au poupre. L'aurore aux ténèbres.

Geheimnisvolles Schwarz zieht vorbei in der Nacht. Unnatürliche Einfachheit nimmt

eine überraschende Wendung nach Purpur. Die schimmernde Morgenstunde.

Mysterieus zwart trekt voorbij in de nacht. Onnatuurlijke eenvoud neemt verrassende wendingen, naar purper. De schemerende morgenstond.

Mysterious black draws close in the night. Unnatural simplicity takes surprising turns, towards purple. The shimmering dawn.

Il y a du noir mystérieux qui passe dans la nuit. De la simplicité artificielle se tourne tout à coup au pourpre. L'aurore aux ténèbres.

Geheimnisvolles Schwarz zieht vorbei in der Nacht. Unnatürliche Einfachheit nimmt eine überraschende Wendung nach Purpur. Die schimmernde Morgenstunde.

Wit · White · Blanc · Weiss

Brassica oleracea
acephala
Sisal 'White'

Leontopodium
haplophylloides

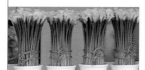

Zantedeschia aethiopica

Rosa 'Tineke'

Rosa 'Hollywood'

Galanthus nivalis

Gentiana sino-ornata 'Alba'
Helianthus annuus

Fritillaria meleagris 'Alba'

Tillandsia xerografica
Pernettya mucronata
'White Pearl'
Ananas nanus
Daum palmata
Gleichenia polypochiodes
Tholla
Hedera canariensis
Calocephalus brownii
Miscanthus sinensis
'Graziella'

Hippeastrum 'Mont Blanc'
Betula pendula

Convallaria majalis

Galanthus nivalis

Delphinium 'Butterball'

Cyclamen persicum
'Miracle'

Cattleya 'Wendy Patterson'

Peperomia caperata 'Alesi'
Mammilaria bocasana

Lilium longiflorum 'White
Europe'
Gleichenia polypochiodes

Dianthus caryophyllus
'White Giant'
Hippeastrum 'Mont Blanc'

Anemone coronaria Mona
Lisa Tetra
Prunus persica

Eucalyptus populefolia
Adenanthos

Clematis armandii 'Apple
Blossom'

Acalypha wilkesiana
Grevillea banksii
Helleborus orientalis
hybriden Gala urceolata

Rosa 'Naomi'

Rosa 'Dorus Rijkers'
Rosa 'La Parisienne'
Rosa 'Konfetti'
Rosa 'Gracia'

Colchicum autumnale
Gomphrena globosa
Nerine crispa
Lathyrus odoratus
Cordata

Rosa 'Blue Bird'
Rosa ' Osiana'
Rosa 'Sonia'
Rosa 'Noblesse'
Rosa 'Parfuma'
Rosa 'La Parisienne'
Rosa 'Valery'

Pennisetum orientale
Celosia argentea var.
cristata
Rudbeckia 'Herbstsonne'
Cotoneaster
'Rothschildianus'

Colchicum autumnale
Symphoricarpos x
doorenbosii 'Mother of
Pearl'

Skimmia japonica 'Rubella'

Musa ornata
Leucospermum
truncatulum

Viola x wittrockiana

Hyacinthus orientalis
'Delft Blue'

Iris 'Small Wonder'
Luzula pilosa

Aconitum napellus
Gentiana sino-ornata
'Stevanagensis'

Rosa 'Bleu Curiosa'

Viola x wittrockiana

Scilla peruviana

Hyacinthus orientalis 'Delft
Blue'

Rosa 'Sterling Silver'
Stachys byzantina
Ming mos

Myosotis sylvatica 'Royal
Blue'

Campanula persicifolia
Delphinium cultivars
Agapanthus 'Blue
Triomphator'
Iris 'Mary Frances'
Aquiligea cultivars

Iris 'Blue-eyed Brunette'
Iris 'Royal Ruffles'
Actinidia chinensis

Viburnum opulus 'Roseum'
Skimmia laureola
Helleborus argutifolius
Magnolia stellata 'Norman
Gould'
Salix atrocinerea
Sorbus alnifolia
Prunus glandulosa 'Alba
Plena'
Prunus padus borealis
Vaccinium nummularia
Prunus spinosa

Pennisetum alopecuroides
Celosia argentea var.
cristata 'Bombay Gold'
Mespilus germanica

Asclepias physocarpa
'Moby Dick'
Clematis tangutica
Leucadendron confirum
x Leucadendron floridum
Anigozanthos flavidus
'groen'
Eucalyptus robusta
Banksia sceptrum

Anthurium andreanum
'Midori'
Woody Pine

Lachostachys eriodotrya
Mammilaria bocasana

Jasminum officinale
'Grandiflorum'
Citrus aurantiifolia

Rosa 'Papillon'

Asclepias physocarpa
'Moby Dick'
Celosia argentea var.
cristata 'Bombay Gold'
Malope trifida 'Rosea'

Xanthorrhoea preisii

Vaccinum nummularia
Hyacinthus orientalis

Serruria florida

Fritillaria thunbergii

Brique - Brick-red - Brique - Rötlich

Anthirrhinum majus
'Potomac Dark Orange'
Celosia argentea var.
cristata
Gloriosa rothschildiana
Rosa 'Ambiance'
Rosa 'Capri'
Lillium Aziatische gr.
'Avignon'
Anemone coronoria Mona
Lisa Red
Zantedeschia 'Mango'

Rosa 'Leonidas'

Strelitzia reginae
Hedera canariensis

Tulipa 'Orange Princess'
Protea cynaroides
'Magnifica'
Skimmia rubella var.
intermedia

Rosa 'Gracia'
Rosa 'Eva'
Rosa 'Creme Lydia'
Rosa 'Porcelina'
Rosa 'Timeless'
Rosa 'Charmila'
Rosa 'Capri'
Rosa 'Jazz'
Rosa 'Lambada'
Rosa 'Bianca'
Rosa 'Anita'
Rosa ' Orange Flame'
Rosa 'Lydia'
Rosa 'Princess'
Rosa 'Cream Dream'
Rosa 'Valery'
Rosa 'Suffany'
Rosa 'Tina'

Musa ornata
Sandersonia aurantiaca

Berzetia lanigunosa
Cocos nucifera

Cornus alba 'Sibirica'
Papaver nudicale

Zantedeschia 'Mango'

Ciporoscogrosso
Banksia speciosa 'Protea'
Pieris japonica
Gleichenia polypochiodes

Tulipa 'Avignon'
Rosa tefe

Kalanchoe beharensis

Artemisia lactiflora 'Rosa
Schleier'
Cimicifuga simplex
'Atropurpurea'
Rudbeckia fulgida
'Goldsturm'
Veronica crinita
Aralia californica
Aruncus dioicus
Cordyline fruticosa
'Compacta'

Linum usitatissimum
Sequoiadendron
giganteum

Helianthus annuus

Rosa 'Oriental Curiosa'

Actinidia chinensis

Fraxinus excelsior

Hydrangea petiolaris

Primula aurikel cultivars

Meulenbeckia axillaris

Hippeastrum 'Bronze'
Leucadendron rubrum

Spino
Oncidium

Zingiber
Atriplex

Rosa 'Leonidas'
Rosa 'Grand Prix'

Gloriosa rothschildiana

Crataegus phaenopyrum

Celosia argentea var.
cristata 'Bombay Purple'
Capsicum annuum
Aralia californica

Zantedeschia 'Christle
Clow'
Dianthus caryophyllus
cultivars

Zantedeschia
'Schwarzwald'
Pernettya mucronata 'Bell's
Seedling'
Rosa 'Black Beauty'
Rosa 'Grand Prix'
Oxalis adenophylla
Brassica oleracea
acephala
Gynura aurantiaca
Celosia argentea var.
cristata 'Bombay Purple'
Ligustrum ovalifolium

Rosa 'Extase'

Rosa 'Tamango'
Rosa 'Mariska'
Rosa 'Gloria Mundi'
Rosa 'Leonidas'
Rosa 'Gabriëlla'
Rosa 'Escada'
Rosa 'Amore'
Rosa 'Black Magic'
Rosa 'Grand Gala'
Rosa 'Phantom'
Rosa' 'Masai'

Dianthus caryophyllus
cultivars

Zantedeschia
'Schwarzwald'

Anthurium 'Safari'
Celosia argentea var.
cristata 'Bombay Purple'
Aralia californica
Zea mays 'Gracillima
Variegata'

Anemone coronaria Mona
Lisa Red
Cordata

Gloriosa rothschildiana

Paeonia 'Red Charm'
Zantedeschia 'Christle
Clow'
Lillium Trumpet Gr. 'Casa
Rosa'
Gloriosa rothschildiana

Zwart - Black - Noir - Schwarz

Cosmos atrosanguineus
'Black Beauty'
Impatiens glandulifera

Anthurium 'Clarinervium'
Phoenix dactylifera

Zantedeschia
'Schwarzwald'
Aruncus dioicus
Vitus coignetiae
Aralia californica
Phytolacca americana

Arum 'Fleur'

Rosa 'Black Magic'

Gladiolus 'Fidelio'
Oxalis adenophylla

Tulipa 'Chinee'

Senecio cineraria 'Silver
Dust'
Leucadendron linifolium

Iris atropurpurea

Ranunculus asiaticus
Crypthantus 'Blackstripe'

Lathyrus odoratus
Brassica nigra

Iris atropurpurea
Cornus sericea

Iris atropurpurea

Fritillaria persica
'Adiyaman'

Dianthus caryophyllus
'White Giant'
Prunus persica

Marcel Wolterinck

Bloemdecorateur en stylist Marcel Wolterinck (38) zoekt het evenwicht: in kleur, klank en gevoel.
Op locaties en in zijn winkel. Hij bereikt dit met uitgebalanceerde middelen, met zijn team. Geïnspireerd door de kleurrijke pracht van de natuur, heeft hij de afgelopen jaren zijn unieke visie succesvol op hen en zijn, zowel nationale als internationale, relaties over kunnen brengen. En nog steeds. Intieme verbanden worden gelegd tussen uitstraling en uitvoering, want elke plek, iedere wens is voor Wolterinck uniek. Strak of levendig.
Waar vormen verdwijnen ontstaan nieuwe structuren, maar natuurlijke materialen en kleuren behouden hun pracht. Het is de kracht van de esthetiek.
Anno 2000 verhuist Wolterinck naar een nieuw pand in Laren. Naast de winkel met bloembinderij, worden er onder andere een galerie, een atrium en een oranjerie in gevestigd. Uitgevoerd in modern en klassiek, zal Wolterinck het uitgangspunt blijven vormen voor een stijlvol contrast tussen eenvoud en overdaad.

Flower decorator and stylist Marcel Wolterinck (38) seeks a balance in colour, sound and feeling. On location and in his shop. He achieves this by means of balance, with his team. Over the years, inspired by the colourful splendour of nature, he has been able to convey his unique vision both to them and to his clients, both nationally and internationally. He does it still. Intimate bonds are laid between essence and execution, because for Wolterinck every place, every desire, is unique. Restrained or full of life. Where forms disappear, new structures arise, but natural materials and colours retain their beauty. It is the power of the aesthetic.
In the year 2000 Wolterinck moves to a new site in Laren. Here, beside the shop and the studio, will be a gallery, an atrium and an orangery. A combination of the modern and the classical, which will form an ongoing starting point for stylish contrasts between simplicity and extravagance.

Le décorateur et styliste de fleurs, Marcel Wolterinck (38), cherche dans son magasin ou à l'extérieur, à trouver l'équilibre entre couleur, son et sentiment. Il atteint son but, assisté par son équipe, par des moyens très équilibrés. Inspiré par la beauté multicoloré de la nature, il a par sa vision unique enthousiasmé ses relations dans le pays et à l'étranger dans les années passées.Et il continue à le faire. Il crée des relations intimes entre rayonnement et réalisation, car pour Wolterinck chaque endroit et chaque désir est unique. Impassible ou vivant. Partout ou des formes disparaissent de nouveaux structures naîssent, mais les matières et les couleurs naturelles gardent leur beauté. C'est la force de l'esthétique.
En l'an 2000, Wolterinck va occuper de nouveaux lieux à Laren. En plus de son magasin et son atelier il envisage d'y établir un galérie, un atrium et un orangerie. Wolterinck continuera, dans des réalisations modernes et classiques à être le point de départ pour un contrast stylé entre simplicité et richesse.

Blumendekorateur Marcel Wolterinck (38) sucht das harmonische Zusammenspiel von Farbe, Klang und Gefühl. In seinem Blumenladen und in anderen Räumen und Orten. Dies erreicht er und sein Team mit der Ausgewogenheit der Mittel. Angeregt von der Farbenpracht der Natur, ist es ihm in den vergangenen Jahren mit Erfolg gelungen, diese einzigartige Auffassung seinen nationalen sowie internationalen Partnern zu vermitteln. Die Entwicklung geht weiter. Innige Zusammenhänge zwischen Ausstrahlung und Ausführung werden hergestellt, denn Wolterinck sieht jeden Ort und jeden Wunsch in seiner Besonderheit. Starr oder belebt. Wo Formen verschwinden entstehen neue Strukturen; aber natürliche Materialien und Farben behalten ihre Pracht. Hier entfaltet sich die Kraft der Ästhetik.
Im Jahr 2000 bezieht Wolterinck in Laren ein neues Haus. Neben dem Laden mit der Blumenbinderei wird unter anderem eine Galerie, ein Atrium und eine Orangerie errichtet. In moderner und klassischer Ausführung steht Wolterinck Garant für einen stilvollen Kontrast von Einfachheit und Überfluß.

Cees Roelofs

Betoverende plaatjes. Internationaal reclamefotograaf Cees Roelofs heeft zich geduldig gefocust op de natuurlijke decoraties, om ze vervolgens gedetailleerd vast te leggen. In het licht van zijn behaaglijke studio of, hartje winter buiten, in een wit bevroren landschap. Vanuit zijn visie heeft hij kleuren, vormen en structuren volledig tot hun recht laten komen.
Zijn veelzijdigheid spreekt boekdelen. Geïnspireerd door de toename van mogelijkheden het beeld te veredelen, was hij begin jaren 90 één van de eerste digitale fotografen van Nederland. Zijn studio in Hilvarenbeek heeft inmiddels een volwaardige digitale afdeling. Voor Wolterinck fotografeerde hij echter op 'traditionele' wijze, op vierkant formaat. 'Het vastleggen van natuurlijke details vereiste voor mijn gevoel deze manier van fotograferen,' aldus de Brabander. Met de proef op polaroidmateriaal verbeeldt hij zijn woorden, het resultaat spreekt uiteindelijk voor zich. Roelofs is erin geslaagd zijn beeldend vermogen gevoelig op plaat te zetten.

Bewitching plates. International advertising photographer Cees Roelofs has patiently focussed on these natural decorations to capture their every detail. In the light of his comfortable studio or outside in a frozen landscape, within the white heart of winter. His vision allows colours, forms and structures to come fully into their own.
His versatility speaks volumes. In the early nineties, inspired by increasing possibilities for refining the image, he was one of the first digital photographers in the Netherlands. His studio in Hilvarenbeek now has a fully digital department. But for Wolterinck he has worked in the 'traditional' manner, in a square format. Says Roelofs. 'I felt that to capture natural details it was essential to use this way of photographing.' So putting polaroid material to the test, he gave substance to his words and the result speaks for itself. Roelofs has managed to sensitively capture his visual awareness on film.

Des images magiques. Le photographe de renommée internationale Cees Roelofs, s'est concentré patiemment sur des décorations naturels pour ensuite les photographier en détail soit à la lumière de son agréable atelier soit dehors au froid dans un paysage d'hiver. A partir de sa propre vision il a entièrement mis en valeur des couleurs, des formes et des structures.
Son universalité en dit long. Inspiré par la croissance des moyens de rendre l'image plus belle il était au debut des annees 90 l'un de premiers photographes digitales aux Pays-Bas. Son atelier à Hilvarenbeek, dispose actuellement d'un équipement digitale complète. Pour Wolterinck il a travaillé de façon "traditionel", sur format carré. Pour photographier des détails naturels il faut travailler ainsi déclarait le Brabançon. Avec ses photos il transforme les paroles en images et le résultat se passe de commentaire. Roelofs a reussi à mettre ses qualités artistiques en usage.

Bezaubernde Bilder. Der international bekannte Werbefotograf Cees Roelofs konzentrierte sich mit viel Geduld auf die natürlichen Dekorationen, um sie dann im Detail auf den Film zu bannen. Im Licht seines behaglichen Studios oder draußen im tiefsten Winter. Bei ihm kommen Farben, Formen und Strukturen zu ihrem vollen Recht.
Seine Vielseitigkeit ist legendarisch. Angezogen von den zunehmenden Möglichkeiten Bilder zu veredeln, begann er als einer der ersten niederländischen Fotografen mit digitalen Kameras zu arbeiten. Sein Studio in Hilvarenbeek verfügt inzwischen über eine vollwertige digitale Abteilung. Für Wolterinck fotografierte er jedoch auf 'traditionelle' Weise im quadratischen Format. Das Festhalten von Details erfordert diese fotografische Technik. Auf den Probefotos mit Polaroidmaterial sollen seine Konzepte Gestalt gewinnen und das Resultat spricht dann für sich selbst. Roelofs ist es gelungen sein bildnerisches Vermögen voll auszuleben.

Dank/Thanks/Merci/Danke

Aan alle medewerkers van Wolterinck voor dit prachtige resultaat, in het bijzonder Rick Heins en Paul Klunder.
Aan alle relaties die hun locatie beschikbaar stelden voor het fotograferen van de decoraties.

To all Wolterinck's colleagues for this superb result, especially to Rick Heins and Paul Klunder.
To all the people who made their surroundings available for photographing the decorations.

A tous les coopérants de Wolterinck pour ce résultat magnéfique, et en particulier à Rick Heins et Paul Klunder.
A tous les relations qui ont mis en disposition leur lieu pour photographier les décorations.

Bei dieser Gelegenheit wollen wir allen Mitarbeitern von Wolterinck für dieses hervorragende Arbeitsergebnis danken. Besondere Erwähnung verdienen Rick Heins und Paul Klunder. Auch den Geschäftspartnern, die uns bereitwillig die Räumlichkeiten für das Fotografieren der Dekorationen überließen wollen wir hier unseren Dank sagen.

Wolterinck Bloemen b.v.
Naarderstraat 13
1251 AW Laren NH
t +31 (0)35 538 39 09
f +31 (0)35 531 68 72

Cees Roelofs fotografie
digitale beeldbewerking: Maikel Pelkmans
assistentie fotografie:
Jeroen Coenen
Jop Huijbregts
Paardenstraat 6
5081 CH Hilvarenbeek
t +31 (0)13 505 28 37
f +31 (0)13 505 47 19

Rozemarijn van Harderwijk Teksten
Naarderstraat 16a
1251 BC Laren NH
t +31 (0)35 531 33 34
f +31 (0)35 531 58 85

Cachet Communicatie
Randstad 21-49
1314 BH Almere Stad
t +31 (0)36 548 21 21

Lithografie en druk:
Drukkerij Tesink B.V.
Hermesweg 17
7202 BR Zutphen
t +31 (0)575 516 900

Bindwerk:
Binderij Callenbach
Nijverheidsstraat 27
3861 RJ Nijkerk
t +31 (0)33 2452941
f +31 (0)33 2456568

Kwekerij Oudolf
Broekstraat 17
6999 DE Hummelo
t +31 (0) 314 381 120

Foto's 2
Profil Floral
Am Potekamp 6
D-40885 Ratingen

Foto's 3
Franck Prignet
24 Rue Montbrun
F-75014 Paris
t +33 (0)1 432 748 78